CB011869

A TERAPIA DO ABRAÇO

...porque nós estamos nos abraçando numa
dança de alegria e amor.

Este é um livro a respeito do abraço.

Abraçar é um instinto, uma resposta natural a sentimentos de afeição, compaixão, carência e alegria.

Abraçar é também uma ciência, um método simples de oferecer apoio, cura e crescimento, com resultados excelentes.

Na sua forma mais elevada, abraçar é também uma arte.

As técnicas do abraço são descritas aqui com uma divertida mistura de impulsividade e seriedade. Que sirvam de referência para você criar a sua própria experiência e prática como um terapeuta do abraço.

KATHLEEN KEATING

Desenhos
MIMI NOLAND

A TERAPIA DO ABRAÇO

Tradução
PAULO REBOUÇAS

EDITORA PENSAMENTO
São Paulo

O primeiro número à esquerda indica a edição, ou reedição, desta obra. A primeira dezena à direita indica o ano em que esta edição, ou reedição foi publicada.

Edição	Ano
19-20-21-22-23-24-25	11-12-13-14-15-16-17

Direitos de tradução para a língua portuguesa
adquiridos com exclusividade pela
EDITORA PENSAMENTO-CULTRIX LTDA.
Rua Dr. Mário Vicente, 368 – 04270-000 – São Paulo, SP
Fone: (11) 2066-9000 – Fax: (11) 2066-9008
E-mail; atendimento@pensamento-cultrix.com.br
http://www.pensamento-cultrix.com.br
que se reserva a propriedade literária desta tradução.
Foi feito o depósito legal.

Um abraço orgulhoso
    para minha filha, Ann Maureen Keating,
    e para todo o pessoal da sua instituição de
    ensino para excepcionais,
    a St. Vincent School, em Santa Bárbara, Califórnia,
    e ao meu filho, Matthew Roy Keating.

Um abraço de gratidão
    para Golda Clendenin, que me inspirou,
    para os meus amigos e colegas do Woodview-
    Calabasas Hospital, que me apoiaram,
    para o Esalen Institute pelas lições que me
    proporcionou,
    para David Gorton por ter acreditado em mim.

abraçar, v.t.

1. segurar alguém nos braços, especialmente de modo afetuoso; dar um abraço; envolver com os braços
2. acariciar, segurar apertado
3. manter-se muito próximo a...

abraço, s.m.

Ato de abraçar; uma forma de carinho. (A forma inglesa *hug* vem do escandinavo, guardando semelhança com *hugga* do norueguês antigo = confortar, consolar.)

terapia do abraço

A prática de dar abraços como forma de tratamento ou cura de doenças, ou ainda para a manutenção da saúde através dos múltiplos significados e da comunicação pelo abraço.

Quem dá e quem recebe um abraço

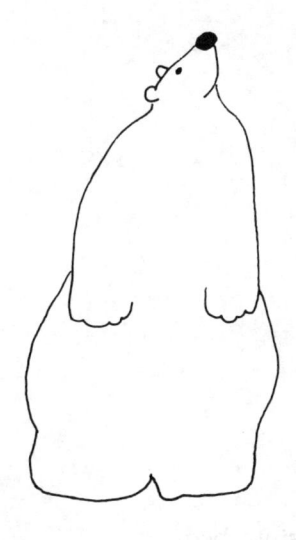

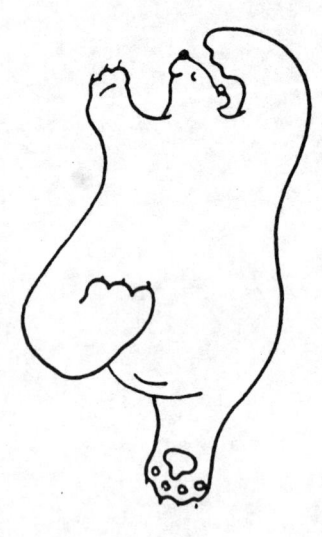

Um abraço faz com que você se sinta bem
o dia todo.

Teoria

O toque físico não é apenas agradável. Ele é necessário. A pesquisa científica respalda a teoria de que a estimulação pelo toque é absolutamente necessária para o nosso bem-estar, tanto físico quanto emocional.

O toque terapêutico, reconhecido como uma ferramenta essencial para a cura, constitui agora parte do treinamento dos profissionais de enfermagem, em vários grandes centros médicos. O toque é usado para ajudar a aliviar a dor, a depressão e a ansiedade; para estimular a vontade de viver dos pacientes; para ajudar bebês prematuros — que ficaram privados do toque materno nas incubadeiras — a crescer e a desabrochar.

Vários experimentos demonstraram que o toque pode:

fazer-nos sentir melhor com nós mesmos e com o ambiente à nossa volta;

ter um efeito positivo sobre o desenvolvimento da linguagem e sobre o QI das crianças;

provocar mudanças fisiológicas mensuráveis naquele que toca e naquele que é tocado.

Estamos apenas começando a entender o poder do toque. Embora ele possa se dar de muitas maneiras, nossa tese é a de que o abraço é uma forma muito especial de toque, que contribui fundamentalmente para a cura e a saúde.

Fundamento lógico

O ABRAÇO

Faz a gente se sentir bem

Acaba com a solidão

Faz a gente superar o medo

Abre passagem para os sentimentos

Constrói a auto-estima ("Uau! *Ela* quer mesmo *me* abraçar!")

Estimula o altruismo ("Não posso acreditar, mas realmente estou *querendo* dar um abraço naquele velho filho da mãe!")

Retarda o envelhecimento. Pessoas que gostam de abraço permanecem mais jovens por mais tempo

Ajuda a controlar o apetite. Comemos menos quando estamos bem alimentados com abraços — e quando nossos braços estão ocupados, enlaçados em volta de outros.

O ABRAÇO TAMBÉM

Alivia a tensão

Combate a insônia

Mantém em forma os músculos dos braços e dos ombros

Dá oportunidade para exercícios de alongamento, se você é baixo

Propicia exercícios de flexão, se você é alto

Oferece uma alternativa saudável à promiscuidade

Oferece uma alternativa sadia e segura para o álcool e para as drogas (*é melhor abraços do que drogas!*)

Afirma a nossa natureza física

É democrático; todo o mundo tem direito a um abraço.

O ABRAÇO TAMBÉM

É ecologicamente benéfico, não tumultua o meio ambiente

Do ponto de vista energético, é eficiente, economiza calor

É portátil

Não requer equipamento especial

Não exige ambientação especial; qualquer lugar, de uma soleira de porta a uma sala de reuniões de executivos, de um salão de igreja a um campo de futebol, é um ótimo lugar para um abraço!

Torna os dias felizes mais felizes

Torna viáveis os dias impossíveis

Comunica sentimentos de posse

Preenche espaços vazios em nossas vidas

Continua trazendo benefícios, mesmo depois de desfeito.

Além disso, o abraço evita a guerra.

Qualificações

As qualificações para ser um terapeuta do abraço e para ser um cliente são as mesmas: basta querer.

A terapia do abraço é um processo de cura recíproca. Na verdade, o que dá e o que recebe um abraço desempenham papéis intercambiáveis. Na condição de terapeuta do abraço, você está aberto à criança que existe dentro de você, que necessita de amor, segurança, apoio, cuidados, e que precisa brincar, e você está estabelecendo contato com as mesmas necessidades no outro.

Um terapeuta do abraço não atribui culpas, nem julga. Mas ele (ou ela) reconhece que muitos de nós, em nossa sociedade reprimida, não aprendemos a solicitar o apoio emocional de que precisamos. Se o amor ou o apoio — ou o divertimento — têm sido insuficientes desde a infância, podemos sentir-nos machucados.

Se os impactos do crescimento nos deixaram com pouca auto-estima, podemos nos sentir indignos de amor — indignos de abraçar.

Os terapeutas do abraço não podem resolver todos esses problemas, mas podem respeitar as lutas íntimas de cada um e oferecer compreensão, risos, palavras amigas e uma fartura de abraços.

A terapia do abraço não é apenas para os solitários ou para os que se sentem machucados. Ela pode tornar as pessoas saudáveis mais saudáveis, as pessoas felizes mais felizes, e aqueles mais seguros dentre nós ainda mais seguros.

Abraço é para todo o mundo.

Qualquer um pode ser um terapeuta do abraço. Mas se você dominar os tipos de abraço e as técnicas avançadas apresentados neste livro, você desenvolverá habilidades adicionais e confiança na sua capacidade natural para compartilhar abraços maravilhosos.

Ética e regras de conduta

Quando você é um terapeuta do abraço verdadeiramente profissional, assume plena responsabilidade por aquilo que diz ou faz. Portanto, os abraços que você dá devem ser cheios de boas intenções, respeitosos e repletos de cuidados para com os outros.

Estas são regras de conduta admitidas para os Terapeutas do Abraço:

1. *Uma vez que a terapia do abraço não tem conotação sexual, abrace em conformidade com isso.* Certifique-se de que os abraços que você dá são de amor, não apaixonados. Um achego atencioso, que busca consolar ou descontrair, é diferente do abraço de um amante. Usualmente a gente percebe a diferença.

Não.

Caso você tenha tomado a iniciativa de oferecer ou de pedir um abraço de solidariedade, e a coisa tenha tomado ares de maior intimidade física, redirecione os seus sentimentos e pensamentos para o objetivo original do abraço — dar apoio mútuo.

Se você não tem dúvidas a respeito do tipo de abraço que está dando, o seu parceiro muito provavelmente responderá de forma igual. Em caso contrário, poderá ser conveniente ter uma conversa com ele a respeito da importância dos abraços de pura amizade no relacionamento de vocês.

Sim.

2. *Assegure-se de que há permissão antes de dar um abraço.* Com freqüência, a permissão para o abraço está implícita num relacionamento. Sua namorada ou amigo chegado provavelmente receberão bem os abraços, praticamente a qualquer hora. Entretanto, ainda assim será preciso respeitar as necessidades alheias de privacidade e espaço.

Algumas vezes você receberá a permissão não-verbal de alguém que queira um abraço, e responderá espontaneamente. Ou então, prepare o caminho para um abraço com um simples comentário, como "Eu gostaria de lhe dar um abraço". Respeite as mensagens verbais e não-verbais do outro. Na maioria das vezes, você saberá o que é necessário e aceitável.

Se você entendeu mal alguém que não gostou de um abraço, não se preocupe. Para alguns, abraçar é muito difícil; algumas vezes uma forte confiança precisa ser construída antes que eles se sintam suficientemente seguros para abraçar, embora nós, terapeutas do abraço, acreditemos que a dádiva do toque é extremamente importante, assim como é importante a dádiva da aceitação!

Peça primeiro.

3. *Cuide também de pedir permissão quando você precisar de um abraço.* Os terapeutas do abraço não apenas dão, mas também recebem abraços. Não basta abraçar; é preciso também ser abraçado. O abraço terapêutico é uma prática de compartilhamento, mais do que de apenas dar ou de apenas receber.

Quando você sentir a necessidade de um abraço, diga: "Eu gostaria de um abraço, se você estiver de acordo." Ou, "Me faria muito bem um grande abraço agorinha mesmo. Você me daria a honra?" Ou ainda, "Que tal um abraço antes que eu saia para o trabalho (ou para uma reunião, um jogo, uma entrevista, ou seja lá o que for)." Um "muito obrigado" depois do abraço, ou um "isso foi bom" é uma confirmação importante do apoio recebido.

Dá-me a honra deste abraço?

4. Assuma a *responsabilidade de expressar aquilo de que você precisa e a forma como você quer recebê-lo.* Culpar os outros por não estarmos conseguindo deles o que precisamos é um erro comum que cometemos em nossos relacionamentos. Algumas pessoas são naturalmente sintonizadas e intuitivas com respeito às necessidades e ao bem-estar dos outros. Mas a maior parte de nós — especialmente se estivermos ocupados, preocupando-nos com as nossas próprias inseguranças — precisa de comunicação direta, explícita. Se quisermos mais abraços, menos abraços, abraços de dez segundos ou abraços descontraídos de mais de dois minutos — qualquer tipo de abraço que seja diferente daquilo que estamos recebendo — precisamos dizê-lo. Então precisaremos estar dispostos a conciliar, bem como a entender que não receberemos sempre exatamente o que queremos quando queremos.

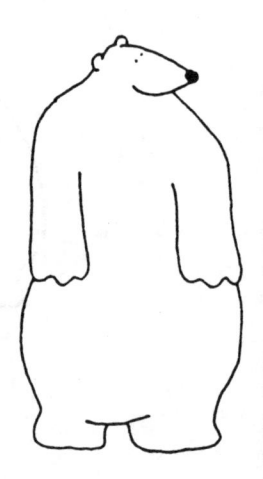

Para alguns, abraçar é muito difícil.

Contra-indicações

UM MITO E UM MODELO

Enquanto os terapeutas do abraço estão convencidos de que abraçar é para todo o mundo, uns poucos céticos têm dificuldade para aceitar a Terapia do Abraço. Eles acreditam, erroneamente, que o único propósito de um abraço é construir um relacionamento de intimidade física.

Um abraço fisicamente íntimo pode ser belo também, mas atende a um nível diferente de carência. Esse tipo de abraço nunca substituirá um velho e gostoso abraço terapêutico! Mesmo parceiros íntimos precisam de toneladas de abraços comuns, também.

Para evitar que as crianças adquiram essa visão estreita a respeito dos abraços, abracem-nas freqüentemente — afetuosamente, oferecendo apoio, de brincadeira, e suavemente. Deixem-nas ver os pais e outros adultos abraçando-se dessa maneira. Caso contrário, elas podem crescer acreditando que abraços são só para amantes, e que para ser abraçado — e abraçável — uma pessoa precisa estar fisicamente atraída pela outra.

Um terapeuta do abraço esforça-se ao máximo para compartilhar a mais ampla compreensão do toque e do abraço, e a crença em que um dia recheado de abraços pode trazer satisfação e serenidade incomensuráveis.

Riscos

A terapia do abraço não é gratuita. O custo é a coragem de se tornar vulnerável. E o preço é o risco de que nossos abraços possam ser rejeitados ou mal-interpretados.

Quando somos muito jovens, somos naturalmente abertos. Queremos dar amor e tocar tanto quanto queremos receber amor e ser tocados. Se somos privados de amor e de contatos físicos, passamos a não querer pagar o preço da vulnerabilidade. O amor reprimido pode transformar-se em dor.

Os terapeutas do abraço podem ajudar a atenuar essa dor. Quando arriscamos nossos abraços, afirmamos a nossa maravilhosa capacidade de compartilhar. Quando estendemos os braços e tocamos os outros, ficamos livres para descobrir a compaixão — juntamente com a capacidade para a alegria — que existe em todos nós. À medida que nossos abraços se tornam mais espontâneos e descobrimos essas riquezas interiores, os riscos vão parecendo relativamente pequenos.

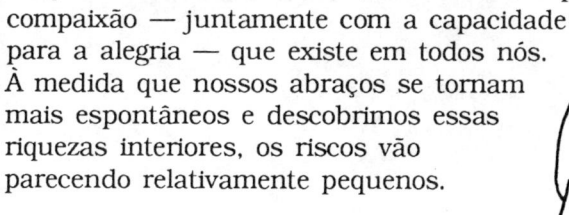

Graças a Deus, temos o nosso lado mais macio.

TIPOS DE ABRAÇOS

Abraço de urso

No abraço de urso tradicional (assim chamado devido aos membros da família Ursidae, que tão bem o praticam), uma pessoa geralmente é maior e mais larga do que a outra, mas isso não é indispensável para manter a qualidade emocional do abraço de urso. Quem for mais alto poderá permanecer de pé ou levemente curvado sobre o parceiro mais baixo, envolvendo firmemente os ombros deste com os seus braços. O parceiro mais baixo fica de pé com a cabeça apoiada no ombro ou no peito do parceiro mais alto, braços enlaçados — também firmemente — em volta de qualquer área entre a cintura e o peito, que eles alcancem. Os corpos se tocam num apertão forte, vigoroso, que pode durar de cinco a dez segundos, ou mais.

Sugerimos que você use de habilidade e autocontrole para fazer com que o abraço seja firme, sem, porém, tirar o fôlego. Tenha sempre consideração para com o seu parceiro, independentemente do tipo de abraço que estiverem compartilhando.

O sentimento durante um abraço de urso é cálido, transmitindo apoio e segurança.

Abraços de urso são para:

Os que compartilham um sentimento ou uma causa em comum.

Pais e filhos. Ambos precisam de um monte de abraços de urso, como apoio.

Avós e netos. Não deixem os avós de fora dos abraços de urso da família.

Amigos (isso inclui casados e amantes, os quais espera-se que sejam amigos também).

Qualquer um que queira dizer, sem palavras:
"Você é o máximo!" Ou: "Sou seu amigo; você pode contar comigo." Ou ainda: "Eu sou solidário com qualquer dor ou alegria que você esteja sentindo."

O que um abraço de urso pode dizer por você?

O abraço padrão

Fiquem de pé olhando um para o outro, braços envolvendo os ombros, os lados da cabeça apertados um contra o outro, e os corpos inclinados para a frente sem se tocar absolutamente abaixo do nível dos ombros. Assim. Esse é um abraço padrão. O tempo gasto neste tipo de abraço normalmente é breve, uma vez que significa quase sempre "olá" ou "até logo". O sentimento que está por trás disso é de apreço ou de cordialidade formal.

O abraço padrão é mais apropriado para conhecidos novos ou colegas de profissão, ou em situações que requeiram uma certa formalidade. Por oferecer pouca ameaça, é confortável para pessoas tímidas ou sem prática.

Este é um abraço clássico, e não deveria ser menosprezado devido à sua qualidade formal. Tem grande aplicação e é portanto benéfico para uma ampla gama de pessoas.

Um abraço padrão é particularmente adequado para:

Uma tia-avó que você não vê desde que era criança.
O marido da chefe da sua mulher.
Seu antigo orientador acadêmico.
Uma nova nora.

Para quem mais?

Assim.

Abraço de rosto colado

O abraço de rosto colado é um tipo muito delicado, gentil, que com freqüência tem um conteúdo espiritual. Pode ser praticado estando as pessoas confortavelmente sentadas, de pé, ou mesmo uma sentada e a outra de pé, uma vez que o contato de corpo inteiro não é necessário.

Se ambas estiverem sentadas, virem-se confortavelmente uma para a outra e pressionem os lados de suas faces, uma contra a outra. Uma mão pode estar sobre as costas do parceiro, e a outra apoiando a parte detrás da cabeça para contrapor-se à pressão do seu rosto. Respirem vagarosa e profundamente. Dentro de poucos segundos vocês se sentirão muito descontraídos. O abraço de rosto colado suscita, com freqüência, sentimentos de bondade, especialmente quando os participantes são amigos chegados.

Um abraço de rosto colado é uma maneira gostosa de:

Cumprimentar um amigo ou parente mais velho que esteja sentado.

Dizer sem palavras um "Sinto muito" a propósito do desapontamento de um amigo.

Compartilhar a alegria de um amigo numa ocasião feliz, como um casamento ou formatura. (Este é um abraço atencioso para aplicar quando se está em filas de cumprimentos, uma vez que não enrosca em véus de noiva nem esmaga cravos de lapela.)

Em que ocasiões você daria um abraço de rosto colado?

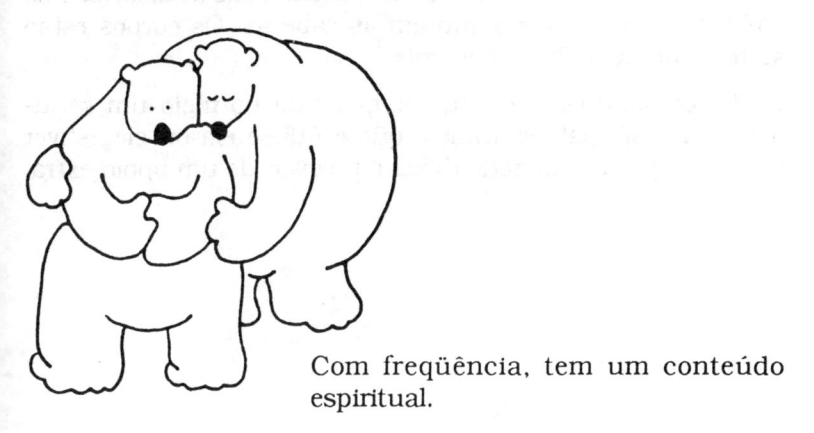

Com freqüência, tem um conteúdo espiritual.

Abraço sanduíche

O abraço sanduíche é uma variedade menos conhecida, mas uma vez que você experimente o seu calor e segurança, irá querer compartilhá-lo com freqüência.

Este é um abraço para três. Dois se olham de frente, com o terceiro no meio olhando para qualquer um dos outros dois. Cada um dos dois colocados nas extremidades estende os braços em direção à região da cintura do outro, e abraça. O que está no meio abraça a cintura daquele para quem estiver olhando. Como uma opção, o par externo pode abraçar-se nos ombros, e todos os três juntam as cabeças. Os corpos estão se tocando aconchegantemente.

O abraço sanduíche dá àquele que está no meio um sentimento de especial segurança, que é útil se ela ou ele estiver passando por um período difícil e precisar de um apoio extra.

O abraço sanduíche é muito oportuno para:

Três bons amigos.

Um casal que pretenda consolar alguém.

Dois pais e uma criança. A criança pode ser muito pequena, crescida, ou de qualquer idade intermediária.

Faça o seu próprio sanduíche.

Abraço relâmpago

O abraço relâmpago detém o recorde de rapidez. Uma pessoa corre na direção da outra e lança-lhe os braços em volta, dá um rápido apertão antes de largá-la e se afasta. Quem é abraçado dessa maneira precisa estar alerta para dar um apertão de volta, a fim de tirar o máximo proveito desse abraço.

Numa variação do tipo "relâmpago", coreograficamente mais difícil, ambos correm na direção um do outro e dão-se um rápido apertão simultâneo. Lembrete de segurança: Evitem uma rota de colisão. A trombada a toda força de dois corpos que convergiram para um mesmo ponto ou a batida de duas cabeças podem anular algumas das sensações boas!

Os sentimentos variam com a situação, mas com freqüência este tipo de abraço é acompanhado por um senso de carinhosa perturbação, porque um ou ambos os parceiros são em-

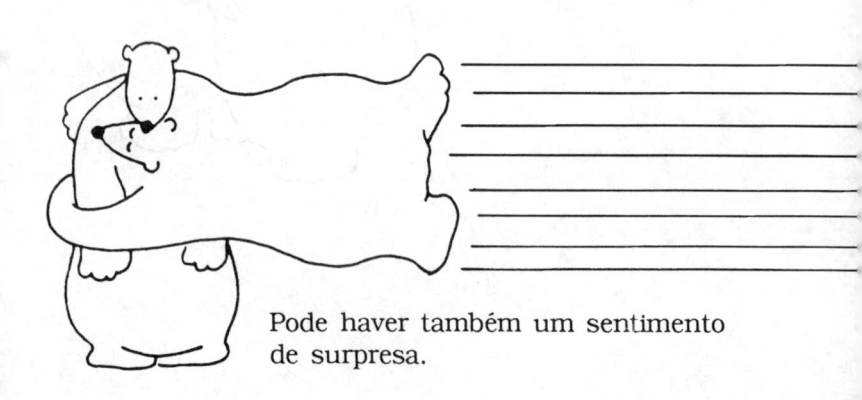

Pode haver também um sentimento de surpresa.

purrados. Se quem recebe um abraço não estiver esperando por isso, pode existir também um sentimento de surpresa.

O abraço relâmpago é uma maneira prática de aplicar uma série de abraços rápidos, quando você está com uma agenda corrida. Para um gerenciamento mais eficaz do *stress*, inclua também uma distribuição liberal de abraços que sejam mais delicados, e demorem mais.

Use o abraço relâmpago:

No local de trabalho ou na cozinha.
Para desejar sorte a alguém, antes de uma apresentação.
Como uma tradução silenciosa das palavras
"Gosto muito de você, mas estou com uma pressa louca!"

Como o abraço relâmpago pode encaixar-se na sua vida?

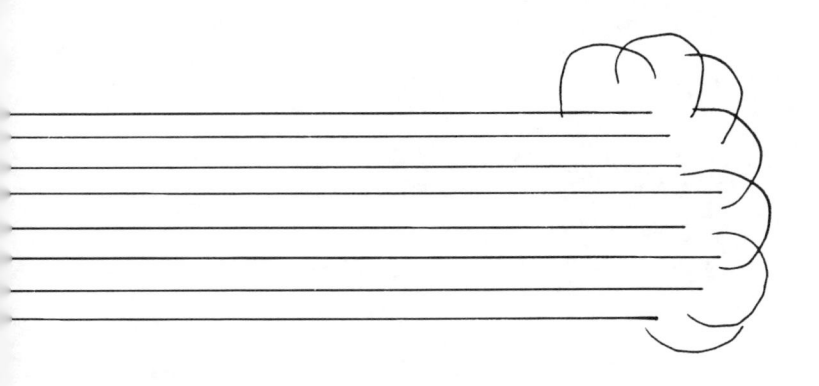

Abraço grupal

O abraço grupal é um abraço muito popular entre bons amigos que estejam compartilhando uma atividade ou projeto. Como terapeutas do abraço, gostaríamos que o abraço em grupo fosse mais conhecido e aplicado com mais freqüência, apenas porque faz a gente sentir-se bem.

O grupo forma um círculo — os participantes ficam de pé o mais próximo possível, braços nos ombros ou na cintura, e se comprimem. Numa variação, os participantes do abraço em grupo, segurando-se conforme a descrição acima, avançam em direção ao centro, estreitando o círculo. Eles se comprimem por vários momentos, depois se erguem e se separam com uma clamação ou suspiro, ou um rápido abraço de despedida.

Além de bons sentimentos de apoio, segurança e afeição, os abraços em grupo conferem, muitas vezes, um senso de unidade e de aceitação universal.

Abraços grupais são bons para:

Grupos de crescimento.
Grupos de apoio.
Colegas de classe, integrantes de um time.
Comitês de trabalho puxado.
Qualquer grupo que você queira.

Quando o seu grupo apreciaria um abraço como esse?

Um abraço em grupo confere muitas vezes um senso de unidade e de aceitação universal.

Abraço de lado

O abraço, ou apertão, de lado é um grande abraço para se receber e dar enquanto se está caminhando junto. Quando você passeia lado a lado com um braço em volta da cintura do outro, ou sobre o seu ombro, de vez em quando dê um generoso aperto.

Esse também é um alegre e divertido abraço para aqueles momentos em que você está de pé na fila, com um amigo. Torna a espera na fila um prazer!

O abraço de lado proporciona um momento de alegria enquanto:

Se vai andando para um ônibus.

Se caminha pelo campo, ou se está em uma escavação arqueológica.

Se está esperando para entrar em um cinema num sábado à noite, ou para matricular-se nos cursos do próximo semestre.

Quando você poderia dar um abraço de lado?

Abraço pelas costas

No abraço pelas costas (conhecido também como enlaça-cintura), alguém vem por trás, envolve com os braços a cintura do parceiro ou parceira e dá um abraço suave.

O enlaça-cintura por trás é o abraço perfeito para dar em alguém que esteja descascando batatas, esfregando panelas sobre a pia da cozinha, ou engajado de algum outro modo em tarefa rotineira, feita em pé. É um abraço um tanto antiquado, cuja prática era mais freqüente antes da invenção da máquina de lavar pratos. Mas na maioria das vezes, esse tipo de abraço ainda é bem-vindo, como um gesto rápido, de brincadeira. O sentimento dominante é de felicidade e de apoio.*

---

* Maior apoio daria o abraço pelas costas *seguido* do gesto de apanhar um pano de pratos para ajudar a enxugar a louça.

Abraços pelas costas são para:

Maridos, esposas e outros que dividem o mesmo espaço.

Companheiros de trabalho numa linha de montagem.

Amigos cujas ocupações requeiram que eles permaneçam olhando principalmente numa única direção — como apanhadores de framboesas, ou selecionadores de correspondência.

Você conhece alguém que apreciaria um abraço pelas costas?

Abraço do fundo do coração

Muitos consideram o abraço do fundo do coração como sendo a mais elevada forma de abraçar, e os terapeutas do abraço oficiais sentem também que ele é de fato muito poderoso.

O abraço do fundo do coração começa com o contato direto dos olhos, à medida que as duas pessoas ficam em pé, olhando uma para a outra. Então os braços são postos de maneira a enlaçar os ombros ou as costas. As cabeças estão juntas, e há contato físico pleno. O abraço é firme e, ao mesmo tempo, leve. Enquanto os dois respiram juntos, devagar e descontraidamente, prestam atenção no sentimento de compaixão que flui de um coração para o outro.

Não há limite de tempo neste abraço; pode prolongar-se por vários momentos, afastando todas as distrações em volta. O abraço do fundo do coração é pleno e demorado, cheio de cuidados e delicado, desarmado e sincero; dá apoio e força.

O abraço do fundo do coração reconhece aquele lugar, no interior de cada um de nós, em que — se estivermos abertos para isso — podemos encontrar um amor puro, incondicional.

O abraço do fundo do coração cai bem:

Em amigos muitos antigos, com uma longa história de caminhos que se cruzam.

Em amigos muito recentes, ligados por uma experiência e uma forte emoção comum.

Quando você deveria compartilhar um abraço do fundo do coração?

Pode prolongar-se por vários momentos, afastando todas as distrações.

Abraço ao gosto do freguês

O abraço mais adequado para você é o abraço que lhe parece correto, considerados o local, a situação, a pessoa com quem você está e o que você pessoalmente pretende conseguir do abraço (afeto, força e apoio, reafirmação de um vínculo de amizade, descontração, ou qualquer outro bom sentimento que um abraço possa provocar).

Algumas vezes torna-se necessário um abraço sob medida, como no caso de um parceiro muito alto e outro muito baixo (ou vice-versa). Ou quando o abraço, para satisfazer igualmente ambas as partes, precisa incluir também um bichinho de estimação ou um brinquedo favorito.

Seja criativo. Os verdadeiros terapeutas do abraço não permitem que as circunstâncias atravessem seu caminho.

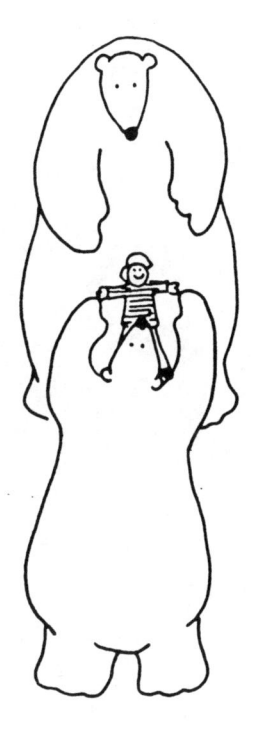

Um abraço ao gosto do freguês pode incluir um brinquedo favorito.

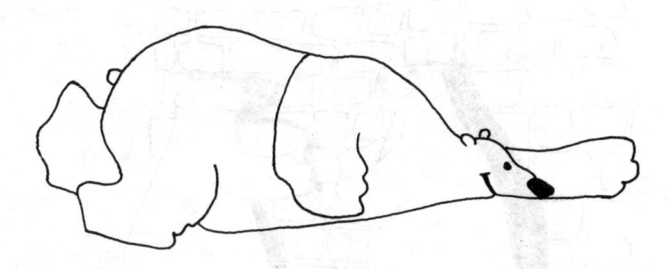

Abraços: onde, quando e por quê?

Ambientes

Um lugar bonito valoriza a experiência de abraçar. Qualquer que seja o cenário que você considere bonito — um caminho cheio de paz, no campo, num dia quente e claro, ou um recanto de um parque verde que abre uma cidade para o céu — pode tornar o abraço que você compartilha com um amigo ainda mais especial.

Não obstante, se o cenário parece aborrecido ou desolado, pode ser totalmente transformado simplesmente porque você está compartilhando um abraço.

Qualquer lugar é o lugar certo para trocar abraços quando o coração está aberto.

Um abraço transforma um cenário desolado...

...num lugar adorável.

Hora do dia

Algumas pessoas gostam de dar abraços matinais. Outras preferem os abraços à tardezinha, adeptas que são do "Graças a Deus, o dia acabou". Outras ainda gostam de abraçar em pleno meio-dia na hora do almoço, ou na hora do lanche à tarde. Embora abraços de rotina sejam ótimos, às vezes os abraços mais apreciados acontecem espontaneamente em momentos inesperados.

Os sentimentos que um abraço provoca — afeição, simpatia, consideração, simples alegria — podem acontecer a qualquer hora. Assim também as situações para um abraço, tal como topar com um velho amigo de escola num aeroporto. Os verdadeiros terapeutas do abraço cultivarão a idéia de um abraço a qualquer momento. E abraços espalhados ao longo do dia ajudarão a manter um sentimento de bem-estar, de companheirismo e de auto-estima.

Amizade

Compaixão

Alegria

Sentimentos que
um abraço traz...

...podem acontecer a qualquer momento.

Efeitos sonoros

Um abraço pode ser acompanhado por um momento de silêncio.

Ou pode incluir expressões de prazer, como estas:

(Suspiro)
Oba!
Isto é bom.
Obrigado. Eu precisava disso.

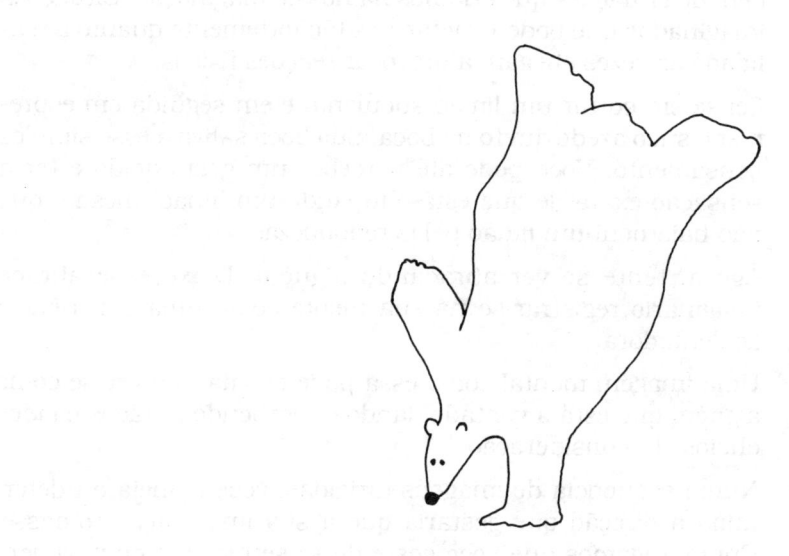

Técnicas avançadas

Visualização

A visualização é uma técnica eficiente para o aprendizado e a mudança. Uma das maneiras pelas quais aprendemos é por meio de impressões repetidas em nossa mente — não apenas do que nós realmente vemos no mundo à nossa volta, mas também de situações que criamos na nossa imaginação. Situações imaginadas que podem afetar-nos tão fortemente quanto a realidade às vezes chegam a provocar reações físicas.

Pense em cortar um limão suculento e em seguida em espremer o suco azedo direto na boca. Sua boca saliva a esse simples pensamento. Você pode até perceber um gosto ácido e ter a sensação exata de que está chupando um limão, mesmo que não haja nenhum limão pelas redondezas.

Agora, tente se ver abraçando alguém. Deixe esse abraço imaginário registrar-se na sua mente como uma experiência acalentadora.

Uma imagem mental como essa pode ensiná-lo a ver-se como alguém que está à vontade dando e recebendo abraços cálidos cheios de consideração.

Numa seqüência de imagens dirigidas, você planeja ou determina a direção que gostaria que a sua imaginação tomasse. Então, digamos que você goste de se sentir bem cumprimentando um amigo com um abraço do fundo do coração. Sente-se num lugar confortável e quieto e feche os olhos. Respire devagar e profundamente quatro ou cinco vezes, e deixe que seu corpo se descontraia por completo. Imagine-se indo ao encontro de um bom amigo. Visualize os dois se enlaçando e trocando um abraço do fundo do coração.

Mantenha essa imagem na sua mente enquanto experimenta sentimentos bons de afeição e de calor. É importante colocar a imagem e os sentimentos juntos, como que sobrepostos.

Ou utilize a seqüência de imagens dirigidas quando estiver sentindo necessidade de apoio depois de um dia extenuante de trabalho. Visualize um amigo favorito que aprecie um abra-ço e dê-lhe um aperto muito afetuoso. Imagine esse amigo abraçando-o e oferecendo-lhe tranqüilidade e amor. Mantenha essa ima-gem e os sentimentos na sua mente pelo tempo que você estiver precisando de consolo.

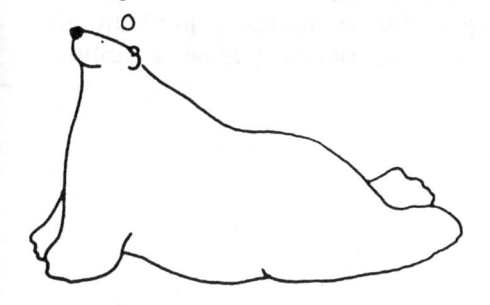

Um abraço imaginário é uma experiência que nos reconforta.

O abraço zen

Você pode usar qualquer tipo de abraço para abraçar à maneira zen. Nossos favoritos são o abraço de rosto colado ou do fundo do coração. Um contato bem íntimo — por exemplo, com os pés ou as mãos se tocando — servirá perfeitamente também.

Seus olhos poderão ficar abertos ou fechados. Fixe a atenção na sua respiração e mantenha-a tranqüila e profunda. Você começará a se sentir relaxado. Você está concentrado no momento presente. Deixe esvair-se qualquer pensamento. Tudo o que está presente é a experiência dos seus sentidos.

Você está consciente do amor que está compartilhando, da respiração que entra e sai, do contato com a outra pessoa, do ar sobre a sua pele. Relaxe.

Fique parado no tempo. Quanto mais tempo você for capaz de relaxar no aqui-e-agora, mais profunda será a sua experiência do abraço ou do toque.

Paz.

Você está todo concentrado no momento presente.

Um toque extra

O abraço é apenas um tipo de toque terapêutico.
Existem outros, conforme demonstrou a pesquisa sobre o toque.

Talvez você queira combinar o abraço com um outro tipo aconchegante de toque platônico, tal como batidinhas ou tapinhas suaves nas costas.

Existem outros tipos de toque terapêutico.

Instituto de Terapia do Abraço

Acreditamos que muita coisa precisa ser feita para derrubar as barreiras culturais e emocionais que nos impedem de sentir os saudáveis benefícios do toque físico e do abraço. A criação do Instituto de Terapia do Abraço é a nossa contribuição, aparentemente estranha mas extremamente séria, a esse esforço.

É fácil tornar-se membro do Instituto de Terapia do Abraço. Basta acreditar no valor do abraço! Use o título de Terapeuta do Abraço com orgulho. Fale a outras pessoas a respeito dos saudáveis benefícios do abraço. Dissemine a filosofia pró-abraço onde quer que você esteja.

Abraçar não deveria ser uma coisa que você só faz de vez em quando, em reuniões de família ou em aniversários, ou quando um dos seus colegas de equipe marca um tento.

Esperamos que o abraço se torne conhecido por todos. E que isso não faça dele um lugar-comum, perdendo o que há de especial em cada abraço.

Instituto de Terapia do Abraço
Certificado de Membro

Certificamos que

_____

nome

concluiu o curso oferecido no livro *Terapia do Abraço* e é agora um Terapeuta do Abraço com capacidade para a disseminação do abraço em todo o mundo.

Abrace sempre. Abrace muito.

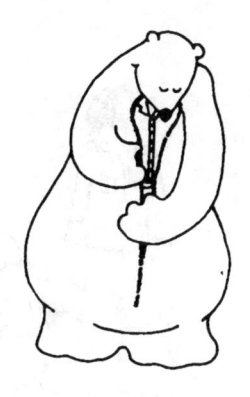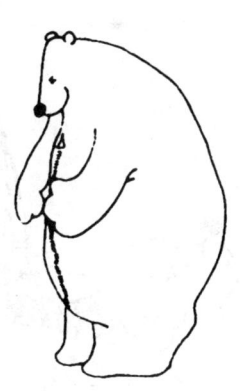

Sobre a Autora

Kathleen Keating Schloessinger, a autora, psiquiatra, mestre em enfermagem e pedagoga, ministra cursos sobre dinâmica de grupo, faz palestras e organiza seminários pelos Estados Unidos e Canadá sobre o poder do toque físico, os males do *stress* e educação dos pais. Seu currículo inclui pesquisas sobre o *biofeedback*, além de assessoria técnica e direção de grupos de terapia. Participou de diversos seminários sobre a Gestalt-terapia durante o período em que foi diretora educacional do Woodview-Calabasas Hospital, em Calabasas, Califórnia, E.U.A.

Atualmente, mora em Ontário, Canadá, com seu marido, Fred Schloessinger. Segundo suas palavras, o tema da sua vida é "sentir, aprender e ensinar as muitas dimensões do amor: a coragem para lutar, a facilidade para receber e dar, sensibilidade para sofrer, a força para ser enérgica, a disponibilidade para a alegria de se divertir e a profunda ternura de um abraço caloroso".

Nota da autora
"Gostaria que vocês me contassem suas experiências como Terapeutas do Abraço. Se quiserem compartilhar essas experiências ou se informarem sobre distintivos e camisetas dos terapeutas do abraço, escrevam para: Kathleen Keating, c/o Judy Steer, P.O. Box 4394, Dept. 200, Louisville, KY 40204."*

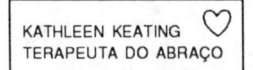

KATHLEEN KEATING
TERAPEUTA DO ABRAÇO

c/o Judy Steer
P.O. Box 4394
Dept. 200
Louisville, KY 40204

---

* Esses artigos são oferecidos à venda apenas pela autora, no endereço acima.

"Quero um mundo onde as pessoas sejam respeitadas pela facilidade e pelo calor com que se misturam... mais do que pela altura dos seus muros."

Clint Weyand
em *My Miracle is You*
(Being Books)

"Desde a nossa origem temos estado adquirindo conhecimento e sabedoria. Fomos o *Homo Sapiens* — o homem que conhece. Agora temos suficiente conhecimento novo para adentrar nossa próxima dimensão, como *Homo Biologicus* — o homem biológico. O que nosso organismo biológico requer para funcionar no seu ponto ótimo, no seu estado de maior alegria? Temos agora evidência científica de que dentre suas necessidades mais prementes está o toque físico — o contato humano. Fazendo contato freqüente com os outros, o Novo Ser Humano — uma combinação de *Homo Sapiens* e *Homo Biologicus* — contribuirá para a saúde e as alegrias do mundo como o pioneiro de uma sociedade mais amorosa, mais educativa."

Helen Colton,
autora de *The Gift of Touch*
(G. P. Putnam's Sons)

"O abraço estimula um sentimento de auto-estima; torna você mais condescendente consigo mesmo... Ao ajudá-lo a perceber que é uma boa pessoa — uma pessoa abraçável — faz com que você queira cuidar melhor dessa boa pessoa para mantê-la no planeta o maior tempo possível."

Barbara Toohey & June Bierman
em *The Diabetic's Total Health Book*
(J. P. Tarcher)

Nome: _____
Diagnóstico: Carência de Toque Físico
Plano de Tratamento: Um milhão de abraços
Prognóstico: Excelente

IMPRESSÃO E ACABAMENTO

GRÁFICA E EDITORA LTDA.
WWW.YANGRAF.COM.BR
(11) 2095-7722